Soledad Bravi

maman dans tes bras

loulou & Cie
l'école des loisirs
11, rue de Sèvres, Paris 6e

MAMAN ?!
Y'A PLUS DE CÉRÉALES

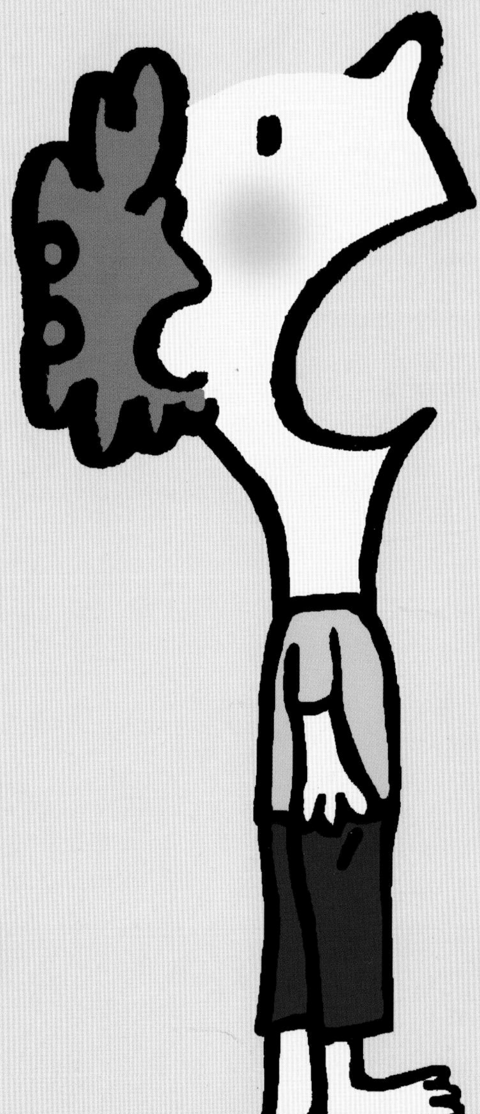

MAMAN ?

Elles sont où
mes baskets
rouges ?

Maman ?
J'ai froid...

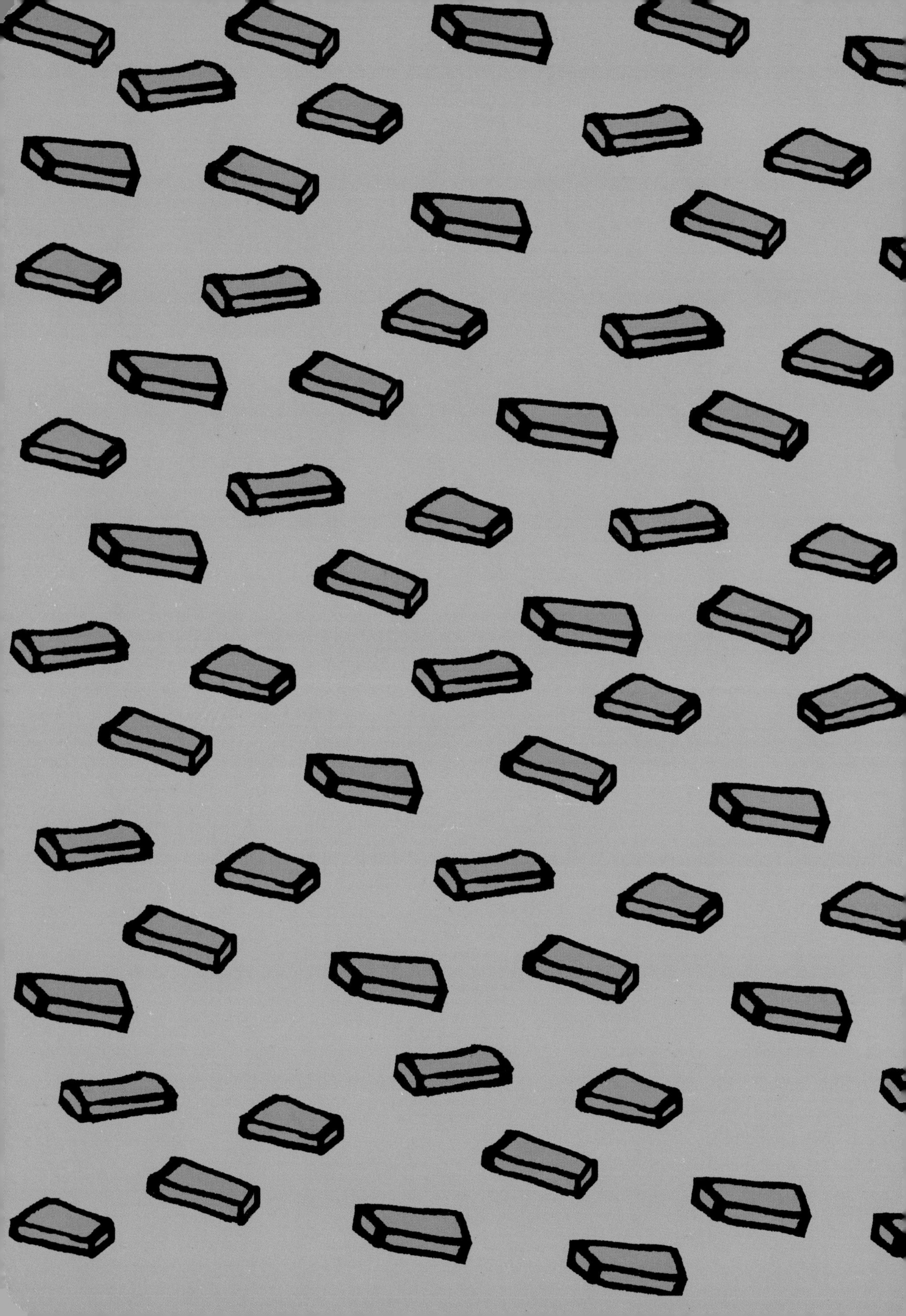

MAMAN ?
Tu m'aides à faire une tour ?
PA KA

maman, j'me sens pas bien

AMAN!
AI FAIM!

Maman ?

Tu fais quoi ?

MAMAN ! J'TROUVE PAS MON PYJAMA !

Maman
j'peux
sur te

m'asseoir
genoux ?

BRRR

MAMAN,

y a ton
téléphone
qui bouge...

Maman,
peux t'aider
à casser des
oeufs ?

MAMAN J'AI FINI !!

Maman câlin

Maman, tu me lis une histoire ?

AÏE!

MAMAN
BOUH OUH
OUH OUH

Mam
je m

an,
nnuie...

MAMAN...
J'ai fait un cauchemar

Papa ?
PA PA ?

oui !

t'as pas vu maman?